Lucile Charliac
Annie-Claude Motron

PHONÉTIQUE
PROGRESSIVE
DU FRANÇAIS
CORRIGÉS

Avec 600
exercices

CLE
INTERNATIONAL

www.cle-inter.com

Directrice éditoriale : Béatrice Rego
Édition : Odile Gandon
Mise en page : Arts Graphiques Drouais (28100 Dreux)
Couverture : Miz'enpage

ISBN : 978-2-09-038221-1

I – LES CARACTÉRISTIQUES DU FRANÇAIS ORAL

1   Les syllabes du mot et l'égalité syllabique

Exercices p. 13

1

		1 syllabe	2 syllabes	3 syllabes	4 syllabes	5 syllabes
Exemple	histoire		x			
1.	phonétique			x		
2.	sciences	x				
3.	art	x				
4.	littérature				x	
5.	grammaire		x			
6.	algèbre		x			
7.	géographie				x	
8.	civilisation					x
9.	maths	x				
10.	dessin		x			

		Je prononce	J'entends
Exemple	piano	**2 syllabes**	*2 syllabes*
1.	clav(e)cin		*2 syllabes*
2.	flûte		*1 syllabe*
3.	trompette		*2 syllabes*
4.	clarinette		*3 syllabes*
5.	orgue		*1 syllabe*
6.	harmonica		*4 syllabes*
7.	batt(e)rie		*2 syllabes*
8.	harpe		*1 syllabe*
9.	violon		*2 syllabes*
10.	accordéon		*4 syllabes*

3

À vous !   Copains, copines...

1. Pas Rahina, Juliette ! – 2. Pas Augustin, Timéo ! – 3. Pas Jérémie, Pierre-Alexandre !

6   Mots tronqués.

1. Mon appart. = mon appartement. – 2. Le p'tit déj. = le petit déjeuner. – 3. Son coloc. = son co-locataire. – 4. Ton anniv. = ton anniversaire. – 5. À plus ! = à plus tard ! – 6. Au troc. = au troquet.

2   La syllabe accentuée dans le mot et la désaccentuation

Exercices p. 15

4   Message téléphonique

Bon<u>jour</u>. Vous êtes <u>bien</u> au zéro <u>six,</u> vingt-<u>deux</u>, quarante-<u>quatre</u>, soixante-dix-<u>sept</u>, quatre-vingt dix-<u>neuf</u>. Je ne peux pas vous répondre pour l'ins<u>tant</u> ; merci de me laisser un me<u>ssage</u>. À bien<u>tôt</u> !

> ### À vous !   Il vient d'où ?
> 1. Oui, c'est un réalisateur canadien. – 2. Oui, c'est un architecte chinois. – 3. Oui, c'est un groupe anglais. – 4. Oui, c'est un peintre allemand.

3   La continuité : l'enchaînement vocalique

Exercices p. 17

2   Mes loisirs

1. J'ai lu un manga amusant. – 2. J'ai entendu un CD épouvantable. – 3. J'ai lu une BD étonnante. – 4. J'ai vu une vidéo originale.

3   Réponds-moi !

1. Tu étais où ? – 2. Tu allais où ? – 3. Tu iras où ?

4   Ton dossier administratif

1. J'en ai déjà envoyé un. – 2. J'en ai déjà envoyé une. – 3 J'en ai déjà envoyé un. – 4. J'en ai déjà envoyé une.

> ### À vous !   Moi aussi ?
> 1. J'ai été émue aussi. – 2. J'ai été ébranlée aussi. – 3. J'ai été effrayée aussi. – 4. J'ai été étouffée aussi. – 5. J'ai été excédée aussi.

4   La continuité : l'enchaînement consonantique

Exercices p. 19

2   Une œuvre intéressante

1. David organise une exposition. – 2. Il invite une artiste allemande. – 3. Karin utilise une technique ancienne – 4. pour ses sculptures en bronze. – 5. Les critiques admirent son talent.

3   Féminin / masculin

1. Cet artiste est mor(t) à Paris. – 2. Cet élève est for(t) en maths. – 3. Tu es sour(d) à ce qu'on te dit. – 4. Tu es trop lour(d) à porter.

4   Indicatif / subjonctif

1. Il faut qu'il parte en vacances. – 2. Je suis content qu'il dorme à l'hôtel. – 3. Je regrette qu'il perde encore. – 4. Je voudrais qu'il me serve enfin.

> ### À vous !   À une autre
> 1. Non, c'est pour une autre étudiante. – 2. Non, c'est d'une autre étudiante. – 3. Non, c'est chez une autre étudiante. – 4. Non, c'est contre une autre étudiante.

5 La continuité : la liaison

Exercices p. 21

`2`

1. Six amis. – 2. Vingt amis. – 3. Un grand‿ami. – 4. Un nouvel ami. – 5. Un vieil ami.

`3` **On y va !**

1. Oui, on y va ! – 2. Oui, on en prend ! – 3. Oui, on en attend !

> **À vous !**   **Votre voyage**
>
> 1. Commen(t) avez-vous voyagé ? – 2. Quan(d) êtes-vous arrivé ? – 3. Combie(n) avez-vous payé ? – 4. Jusqu'à quand restez-vous ?

6 La chute du /ə/

Exercices p. 23

`1`

		2 syllabes	3 syllabes	4 syllabes	5 syllabes	6 syllabes	7 syllabes
Exemple	brusquement		x				
1.	largement		x				
2.	longu(e)ment	x					
3.	indubitablement					x	
4.	fortement		x				
5.	invariablement.				x		
6.	bêt(e)ment.	x					
7.	parfait(e)ment		x				
8.	lourdement.		x				
9.	évidemment.			x			
10.	sûr(e)ment	x					

`2`

1. Tu t(e) prépares pour partir. – On s(e) prépare pour partir. – 2. Tu t(e) promènes souvent. – On s(e) promène souvent. – 3. Tu t(e) demandes où on va. – On s(e) demande où on va. – 4. Tu t(e) rappelles un joli coin. – On s(e) rappelle un joli coin.

`3` **Tu exagères !**

1. Ah ! Tu n(e) sais pas ! – 2.Ah ! Tu n(e) comprends pas ! – 3. Ah ! Tu n(e) connais pas ! – 4. Ah ! Tu n(e) vois pas ! – 5. Ah ! Tu n(e) peux pas ! – 6. Ah ! Tu n(e) supportes pas !

> **À vous !**   **J'ai dû tout r(e)faire.**
>
> 1. Tu m(e) demandes ? J'ai dû tout r(e)trier. – 2. Tu m(e) demandes ? J'ai dû tout r(e)préparer. –
> 3. Tu m(e) demandes ? J'ai dû tout r(e)taper. – 4. Tu m(e) demandes ? J'ai dû tout r(e)présenter.

7 Les styles

Exercices p. 25

1 Soutenu, courant ou familier ?

	Ex.	1	2	3	4	5	6	7	8	9	10
soutenu		x			x		x		x		
courant				x						x	
familier	x		x			x		x			x

1. C'est une lourde tâche. – 2. C'est mon pote. – 3. Je me suis trompé. – 4. Je n'y crois guère ! – 5. Tu te dégonfles ? – 6. Je vous prie de m'excuser. – 7. Je me suis planté. – 8. Voilà qui est risqué ! – 9. Dépêche-toi ! – 10. J'ai la crève.

2 Soutenu ou courant ?

	Ex.	1	2	3	4	5	6	7	8	9	10
soutenu	X			x	x		x	x	x		x
courant		x	x			x				x	

1. Il es(t) allemand ? – 2. On n'en a pa(s) encore reçu. – 3. Nous sommes $_{/z/}$ enchantés ! – 4. Il doit $_{/t/}$ y arriver. – 5. Ça, c'es(t) un copain ! – 6. Vous êtes $_{/z/}$ en vacances ? – 7. C'est $_{/t/}$ épouvantable… – 8. Vous n'y êtes pas $_{/z/}$ encore ! – 9. Ils pourraien(t) être en retard. – 10. Ça m'a beaucoup $_{/p/}$ intéressé.

> ### À vous ! De quoi parles-tu ?
> 1. Qu'as-tu vu, mon chéri ? – 2. Qu'as-tu écouté, mon chéri ? – 3. Qu'as-tu entendu, mon chéri ? – 4. Qu'as-tu compris, mon chéri ?

8 La phrase et l'intonation

Exercices p. 27

1

	1	2	3	4	5	6	7	8	9	10
La voix monte.		x		x	x	x				x
La voix descend.	x		x				x	x	x	

1. Il fait beau. – 2. Ça ira ? – 3. Il est quatre heures. – 4. C'est par là ? – 5. Vous êtes très loin ? – 6. Il pleut ? – 7. Vous êtes tout près. – 8. Ça ira bien. – 9. C'est à droite. – 10. Il est six heures et quart ?

> ### À vous ! Raphaël au travail.
> 1. Je vérifie toujours ce qu'il a fait. – 2. Je lui confie toujours des dossiers difficiles. – 3. Je suis toujours content de lui. – 4. Je l'emmène toujours avec moi en mission.

II – LES VOYELLES

LES VOYELLES ORALES SIMPLES

Quelles sont vos difficultés ? p. 31

Test 1

1. C'est son **prix**. – 2. **Ses** enfants sont arrivés. – 3. Il **crie** beaucoup. – 4. Demande-lui **des** bonbons.

Test 2
1. Sort-**il** ? – 2. **Elle** arrive. – 3. Je pense qu'**elle** est malade. – 4. Demain, **il** revient. – 5. Tu crois qu'**il** part ?

Test 3
1. dormait – 2. écrivait – 3. prenez – 4. lisez

Test 4
1. Le thé est noir. – 2. Sa fille étudie. – 3. Le bas est gras. – 4. Replace-les vite !

Test 5
1. C'est la dernière **côte**. – 2. **Paul** est un prénom à la mode. – 3. Ta **pomme** est rouge. – 4. Le **saule** est desséché.

Test 6
1. Il fait beaucoup de **fautes**. – 2. **Fou**, lui ? – 3. Il est **tout** pour elle. – 4. J'ai vu des **pots** blancs.

9 prix - pré /i/ - /e/
Exercices p. 33

3 Où ?
1. Reprenez ici ! – 2. Continuez ici ! – 3. Terminez ici ! – 4. Arrêtez ici !

> **À vous !** **Qui ?**
> 1. Qui te l'a refait ? – 2. Qui te l'a refusée ? – 3. Qui te l'a reprochée ? – 4. Qui te l'a recommandé ? – 5. Qui te l'a remis ?

4. Écoute tes parents !
1. Je les accrocherai si je veux ! – 2. Je les enfilerai si je veux ! – 3. Je les lacerai si je veux ! – 4. Je les nouerai si je veux !

10 il - elle /i/ - /ɛ/
Exercices p. 35

2 Je n'ai pas bien entendu.
1. Pardon, qu'est-ce qu'elle dit ? – 2. Pardon, qu'est-ce qu'elle finit ? – 3. Pardon, qu'est-ce qu'elle signe ? – 4. Pardon, qu'est-ce qu'elle imagine ?

3 Mais si, mais si…
1. Si, il met celle-là. – 2. Si, il paie celle-là. – 3. Si, il jette celles-là. – 4. Si, il prête celle-là.

> **À vous !** **Inimaginable !**
> 1. Lui, sans elle ? Inimaginable ! – 2. Lui, chez elle ? Inimaginable ! – 3. Lui, pour elle ? Inimaginable !

11 parlait - parlé /ɛ/ - /e/
Exercices p. 37

3. Vous déménagez quand ?
1. Vous déménagez en février ? – 2. Vous déménagez en mars ? – 3. Vous déménagez en avril ? – 4. Vous déménagez en mai ? – 5. Vous déménagez en juin ? – 6. Vous déménagez en juillet ? – 7. Vous déménagez en août ? – 8. Vous déménagez en septembre ? – 9. Vous déménagez en octobre ? – 10. Vous déménagez en novembre ? – 11. Vous déménagez en décembre ?

À vous !   Moi, jamais !

1. Gêné ? Moi, jamais ! – 2. Choqué ? Moi, jamais ! – 3. ? Désolé ? Moi, jamais ! – 4. Désespéré ? Moi, jamais !

4   Ça ne va pas tarder…

1. Non, mais je vais me coiffer. – 2. Non, mais je vais me préparer. – 3. Non, mais je vais me dépêcher.

Exercices p. 38

7   Il n'est pas tout seul.

1. Oui, le poissonnier et la poissonnière ! – 2. Oui, le charcutier et la charcutière ! – 3. Oui, le crémier et la crémière !

À vous !   Ils sont exceptionnels !

1. C'est un banquier exceptionnel. – 2. C'est un financier exceptionnel. – 3. C'est un couturier exceptionnel.

8   On l'a vu.

1. Il la chassait quand ils sont arrivés. – 2. Il la léchait quand ils sont arrivés. – 3. Il la grignotait quand ils sont arrivés.

Exercices p. 39

9   Imparfait passif / passé composé passif

1. J'ai été épuisé. – 2. J'ai été écarté. – 3. J'ai été éloigné.

10   Comme toujours !

1. Je sais, elle l'a toujours fêté ! – 2. Je sais, elle l'a toujours abrégée. – 3. Je sais, elle l'a toujours gérée.

À vous !   Encore plus

1. J'ai été encore plus bousculé aujourd'hui. – 2. J'ai été encore plus submergé aujourd'hui. – 3. J'ai été encore plus débordé aujourd'hui. – 4. J'ai été encore plus dépassé aujourd'hui.

Écriture

C'est par téléphone qu'il a commandé un téléviseur, équipé d'une télécommande, et un télescope ; il va régler par télépaiement, car il aime pratiquer le téléachat, la téléconférence et le téléenseignement ainsi que la télémaintenance ; n'ayant pu être télépathe, il doit s'entraîner pour devenir télé informaticien. Signé : http://www.branché.fr.

Lecture

Jean de La Fontaine (1621-1695), *Le Corbeau et le Renard* : Maître Corbeau, sur un arbre perché, / Tenait en son bec un fromage. / Maître Renard, par l'odeur alléché, / Lui tint à peu près ce langage : / Et bonjour, Monsieur du Corbeau, / Que vous êtes joli ! que vous me semblez beau ! / Sans mentir, si votre ramage / Se rapporte à votre plumage, / Vous êtes le Phénix des hôtes de ces bois. / À ces mots le Corbeau ne se sent pas de joie, / Et pour montrer sa belle voix, / Il ouvre un large bec, laisse tomber sa proie. / Le Renard s'en saisit, et dit : Mon bon Monsieur, / Apprenez que tout flatteur / Vit aux dépens de celui qui l'écoute. / Cette leçon vaut bien un fromage sans doute. / Le Corbeau honteux et confus / Jura, mais un peu tard, qu'on ne l'y prendrait plus.

12 les - la   /e/ - /a/
Exercices p. 41

2   À la ferme

1. Les chatons ? Là-bas ! – 2. Les vaches ? Là-bas ! – 3. Les ânes ? Là-bas ! – 4. Les canards ? Là-bas !

> ### À vous !   Et toi ?
> 1. Et toi, *tu (ne) la décharges pas ? – 2. Et toi, *tu (ne) la déplaces pas ? – 3. Et toi, *tu (ne) la dégages pas ? – 4. Et toi, *tu (ne) la répares pas ?

4   Toi ? Jamais !

1. Toi ? *Tu (ne) l'as jamais abordée ! – 2. Toi ? *Tu (ne) l'as jamais draguée ! – 3. Toi ? *Tu (ne) l'as jamais invitée ! – 4. Toi ? *Tu (ne) l'as jamais lâchée ! – 5. Toi ? *Tu (ne) l'as jamais regrettée !

13 notre - nôtre   /ɔ/ - /o/
Exercices p. 43

3   Bravo !

1. Du judo ? Bravo ! – 2. Du bateau ? Bravo ! – 3. De la moto ? Bravo ! – 4. De la spéléo ? Bravo !

4   Rendez-vous

1. Au Planétarium ? D'accord ! – 2. Au Muséum ? D'accord ! – 3. À l'auditorium ? D'accord !

> ### À vous !   Polyglotte !
> 1. Oh ! Vous êtes anglophone ? – 2. Oh ! Vous êtes russophone ? – 3. Oh ! Vous êtes araбophone ? – 4. Oh ! Vous êtes hispanophone ? – 5. Oh ! Vous êtes germanophone ? – 6. Oh ! Vous êtes lusophone ? – 7. Oh ! Vous êtes sinophone ?

Exercices p. 44

7   *Faut bien le faire !

1. * Faut bien les poster… – 2. * Faut bien les transporter… – 3. * Faut bien les rapporter…

8   Quels textos !

1. Tous ces textos sont cordiaux. – 2. Tous ces textos sont normaux. – 3. Tous ces textos sont spéciaux. – 4. Tous ces textos sont originaux.

> ### À vous !   Aujourd'hui
> 1. On l(e) convoque aujourd'hui ? – 2. On l(e) nomme aujourd'hui ? – 3. On l(e) sanctionne aujourd'hui ? – 4. On l(e) décore aujourd'hui ?

Exercices p. 45

> ### À vous !   Ah ! Le vôtre…
> 1. Le vôtre est encore plus faux. – 2. Le vôtre est encore plus gros. – 3. Le vôtre est encore plus nouveau. – 4. Le vôtre est encore plus vieillot.

11   Abréviations

1. *ado : adolescent. – 2. *hebdo : hebdomadaire. – 3. *labo : laboratoire. – 4. * produit bio : produit

biologique. – 5. *exo : exercice. – 6. *bobo : "bourgeois bohême". – 7. *resto : restaurant. – 8. *alcoolo : alcoolique. – 9. *socio : sociologie. – 10. *écolo: écologique. – 11 *disco : discothèque. – 12. *pseudo : pseudonyme.

14 faux - fou   /o/ - /u/

Exercices p. 47

3   Oui, tout !

1. Oui, il faut tout lire. – 2. Oui, il faut tout faire. – 3. Oui, il faut tout boire. – 4. Oui, il faut tout traduire. – 5. Oui, il faut tout remplir.

À vous !   **Tous les autres**

1. Tou(s) les autr̲e̲s sont entrés. – 2. Tou(s) les autr̲e̲s sont prêts. – 3. Tou(s) les autr̲e̲s sont servis. – 4. Tou(s) les autr̲e̲s sont partis.

---

4   Beaucoup trop !

1. Beaucoup trop doux ! – 2. Beaucoup trop lourd ! – 3. Beaucoup trop souple ! – 4. Beaucoup trop rouge !

Exercices p. 48

7   On va où ?

1. D'accord pour Bordeaux. – 2. D'accord pour Fontainebleau. – 3. D'accord pour Chenonceau. – 4. D'accord pour Pau. – 5. D'accord pour Ajaccio.

À vous !   **Mais si !**

1. Si, je la trouve trop serrée. – 2. Si, je la trouve trop longue. – 3. Si, je la trouve trop fragile. – 4. Si, je la trouve trop courte.

Lecture

Ce sont les sept mots en « -ou » qui prennent un « -x » au pluriel.

Exercices p. 49

À vous !   **Tous sauf vous**

1. Tou̲s̲ le redoutent sauf vous. – 2. Tou̲s̲ le désavouent sauf vous. – 3. Tou̲s̲ l'écoutent sauf vous. – 4. Tou̲s̲ l'approuvent sauf vous.

---

10   Expressions

1. Il est sourd comme un pot. – 2. Il est rouge comme un coq. – 3. Il est doux comme un agneau. – 4. Il est connu comme le loup blanc.

LES VOYELLES ORALES COMPOSÉES

Quelles sont vos difficultés ? p. 51

Test 1

1. C'est **Paris**. – 2. **Gilles** Normand revient lundi. – 3. Tes **pulls** sont usés. – 4. Il l'a **ému** aussi.

Test 2

1. Il en est resté **sourd**. – 2. **Tout** finira mal. – 3. Leur **cure** est terminée. – 4. Il habite au-**dessus** de nous.

Test 3
1. C'est trop **cru**. – 2. **Du** poulet ! – 3. C'est un **jeu** pour les enfants. – 4. Il ne **pleut** pas.

Test 4
1. Donne-m'en un **peu** ! – 2. **Vaut**-il cinq euros ? – 3. Ces **chevaux** sont beaux… – 4. Ils le rapportent **eux**-mêmes.

Test 5
1. C'est en **nous**. – 2. « **Feu** », cria-t-il. – 3. J'habite au **deuxième** étage. – 4. Il a mangé **douze** huîtres.

Test 6
1. J'ai cassé sept **œufs**. – 2. Leur **bœuf** ferme la marche. – 3. Il **peut** voir. – 4. **Veulent**-ils la clé ?

Test 7
1. Envoie-**les** ! – 2. **Le** comédien répète. – 3. Achète **les** magazines ! – 4. Regarde **le** film !

Test 8
1. J'ai fui la soirée. – 2. Je dis la vérité. – 3. Moi, je fais le ménage. – 4. Ce que j'ai ri hier !

Test 9
1. Écoute-**la** ! – **2. Le** journaliste enquête. – **3.** On **la** remplit. – **4.** Il **le** fait.

15 vie - vue /i/ - /y/
Exercices p. 53

3 Quel jour ?
1. Mardi ? *J(e n')ai pas pu. – 2. Mercredi ? *J(e n')ai pas pu. – 3. Jeudi ? *J(e n')ai pas pu. – 4. Vendredi ? *J(e n')ai pas pu. – 5. Samedi ? *J(e n')ai pas pu. – 6. Dimanche ? *J(e n')ai pas pu.

4 Dites-moi.
1. Moi, j'étudie la chimie. – 2. Moi, j'étudie la sculpture. – 3. Moi, j'étudie l'architecture. – 4. Moi, j'étudie la musique. – 5. Moi, j'étudie la publicité.

> **À vous !** Si, plu_s_.
> 1. Si, je refuse plu_s_. – 2. Si, je calcule plu_s_. – 3. Si, je lis plu_s_. – 4. Si, j'écris plu_s_. – 5. Si, je réfléchis plu_s_.

Exercices p. 54

6 Présent / passé composé
1. Tu **as eu** une image ? – 2. Tu **as eu** une illusion ?

> **À vous !** Tu as vu ?
> 1. Absurde ? Tu es sûr ? – 2. Ridicule ? Tu es sûr ? – 3. Super ? Tu es sûr ? – 4. Sublime ? Tu es sûr ? – 5. Stupide ? Tu es sûr ?

7 Je fête mon anniversaire.
1. Tu veux venir avec Justine? … Bien sûr, si tu invites Justine aussi. – 2. Tu veux venir avec Muriel? … Bien sûr, si tu invites Muriel aussi. – 3. Tu veux venir avec Judith ? … Bien sûr, si tu invites Judith aussi. – 4. Tu veux venir avec Juliette ? … Bien sûr, si tu invites Juliette aussi. – 5. Tu veux venir avec Jules ? … Bien sûr, si tu invites Jules aussi. – 6. Tu veux venir avec Justin ? … Bien sûr, si tu invites Justin aussi. – 7. Tu veux venir avec Lucas ? … Bien sûr, si tu invites Lucas aussi. – 8. Tu veux venir avec Hugo ? … Bien sûr, si tu invites Hugo aussi. – 9. Tu veux venir avec Augustin ? … Bien sûr, si tu invites Augustin aussi. – 10. Tu veux venir avec Samuel ? … Bien sûr, si tu invites Samuel aussi.

Ah ! Si j'avais su ! Je n'aurais pas dû, / *Mais j'avais bien cru* / *Mes poches cousues,* / *Et j'ai tout perdu* !

Exercices p. 55

> **À vous !**   Quelle ambitieuse !
>
> 1. Et tu y vas, toi ? – 2. Et tu y prends part, toi ? – 3. Et tu y participes, toi ? – 4. Et tu y crois, toi ?

9   Regarde le ciel !

1. Il bleuit de plus en plus… – 2. Il rougit de plus en plus… – 3. Il noircit de plus en plus… – 4. Il blanchit de plus en plus… – 5. Il jaunit de plus en plus…

10   Oui, j'en ai déjà vu une.

1. Bien sûr ! J'en ai déjà connu une. – 2. Bien sûr ! J'en ai déjà vécu une. – 3. Bien sûr ! J'en ai déjà subi une. – 4. Bien sûr ! J'en ai déjà aperçu une.

16   roue - rue   /u/ - /y/

Exercices p. 57

3   Tout à fait

1. Tout à fait dur. – 2. Tout à fait juste. – 3. Tout à fait mûr. – 4. Tout à fait pur. – 5. Tout à fait nul.

4   Et vous ?

1. Vous l'avez cru, vous ? – 2. Vous l'avez entendue, vous ? – 3. Vous l'avez sue, vous ? – 4. Vous l'avez vue, vous ?

> **À vous !**   Ouille, ouille, ouille !
>
> 1. Pourquoi tu tousses ? – 2. Pourquoi tu souffles ? – 3. Pourquoi tu rougis ? – 4. Pourquoi tu doutes ? – 5. Pourquoi tu te coupes ?

Exercices p. 58

6   Présent / passé composé

1. Avez-vous une indication ? / Avez-vous eu une indication ? – 2. Avez-vous une occasion ? / Avez-vous eu une occasion ?

7   Plus du tout

1. Ah non, *je (ne) joue plu(s) du tout. – 2. Ah non, *je (ne) tourne plu(s) du tout. – 3. Ah non, *je (ne) couds plu(s) du tout.

8   Trop ou pas assez ?

1. Je la trouve plutôt sous-exposée ! – 2. Je la trouve plutôt sous-évaluée ! – 3. Je la trouve plutôt sous-estimée ! – 4. Je la trouve plutôt sous-dimensionnée !

> **À vous !**   Vraiment tout !
>
> 1. Tu as tout r(e)çu ? – 2. Tu as tout r(e)lu ? – 3. Tu as tout r(e)fusé ?

Exercices p. 59

10   Beaucoup plus !

1. Aujourd'hui, beaucoup plus usuelles. – 2. Aujourd'hui, beaucoup plus unanimes. – 3. Aujourd'hui, beaucoup plus urgents. – 4. Aujourd'hui, beaucoup plus utiles.

11 **Surtout une.**

1. Tu en as combattu surtout une. – 2. Tu en as conçu surtout une. – 3. Tu en as défendu surtout une. – 4. Tu en as obtenu surtout une.

> ### À vous !   C'est grave ?
> 1. Avez-vous eu une grave brûlure ? – 2. Avez-vous eu une grave coupure ? – 3. Avez-vous eu une grave écorchure ? – 4. Avez-vous eu une grave piqûre ? – 5. Avez-vous eu une grave égratignure ?

17 du - deux   /y/ - /ø/

Exercices p. 61

3 **Combien ?**

1. Des peintures ? Deux. – 2. Des gravures ? Deux. – 3. Des figures ? Deux. – 4. Des enluminures ? Deux.

4 **Tu rêves ?**

1. Malheureuse ? Tu rêves… – 2. Ambitieuse ? Tu rêves… – 3. Menteuse ? Tu rêves… – 4. Moqueuse ? Tu rêves…

> ### À vous !   Un peu plus !
> 1. *Un peu plus de musique ! – 2. *Un peu plus de lecture ! – 3. *Un peu plus de confiture !

Exercices p. 62

7 **Vous êtes malade.**

1. Une capsule ou deux ? – 2. Une gélule ou deux ?

8 **Pas ceux-là !**

1. *J(e n)'ai pas vu ceux-là. – 2. *J(e n)'ai pas entendu ceux-là. – 3. *J(e n)'ai pas perdu ceux-là. – 4. *J(e n)'ai pas vendu ceux-là.

> ### À vous !   Une sur deux.
> 1. Une fois sur deux ! – 2. Une année sur deux ! – 3. Une nuit sur deux ! – 4. Une heure sur deux !

Exercices p. 63

11 **Les deux sont à eux.**

1. Ces deux reliures sont à eux. – 2. Ces deux couvertures sont à eux. – 3. Ces deux fourrures sont à eux. – 4. Ces deux parures sont à eux.

> ### À vous !   Eux aussi !
> 1. Les tiens sont fructueux eux aussi. – 2. Les tiens sont soigneux eux aussi. – 3. Les tiens sont fumeux eux aussi. – 4. Les tiens sont curieux eux aussi.

Écriture

Elle était un p'tit peu campeuse, / un pe'tit peu auto-stoppeuse, / *j'l'aurais préférée vicieuse, voire allumeuse !* (chanson de Renaud, 1952-)

18 chevaux - cheveux /o/ - /ø/

Exercices p. 65

3 J'ai gagné !

1. Au bingo, de mieux en mieux... – 2. Au casino, de mieux en mieux... – 3. Au dominos, de mieux en mieux... – 4. Au jeu de go, de mieux en mieux...

> **À vous !**   **Diminutifs**
>
> 1. Pierrot, peut-être... – 2. Charlot, peut-être... – 3. Paulo, peut-être... – 4. Ségo, peut-être... – 5. Nico, peut-être... – 6. Mado, peut-être...

Exercices p. 66

6 Paris Bordeaux

1. Il vaut mieux partir vers Bordeaux. – 2. Il vaut mieux partir pour Bordeaux. – 3. Il vaut mieux partir à Bordeaux.

> **À vous !**   **Tu lis trop peu !**
>
> 1. Rimbaud ? Trop peu. – 2. Rousseau ? Trop peu. – 3. Marot ? Trop peu. – 4. Queneau ? Trop peu. – 5. Modiano ? Trop peu

Écriture

Les filles / C'est beau comme un jeu / C'est beau comme un feu / C'est beaucoup trop peu / ... / *Les filles / C'est beau tant que ça peut / C'est beau comme l'adieu / Et c'est beaucoup mieux.* (chanson de Jacques Brel, 1929-1978)

Exercices p. 67

9 Il est pénible !

1. Odieux ? Oh, trop c'est trop ! – 2. Haineux ? Oh, trop c'est trop ! – 3. Injurieux ? Oh, trop c'est trop ! – 4. Hargneux ? Oh, trop c'est trop ! – 5. Teigneux ? Oh, trop c'est trop !

> **À vous !**   **Je n'en veux aucun.**
>
> 1. Je n(e) veux aucun conseil. – 2. Je n(e) veux aucun soutien. – 3. Je n(e) veux aucun avis. – 4. Je n(e) veux aucun sponsor. – 5. Je n(e) veux aucun partenaire. – 6. Je n(e) veux aucun parrain.

Écriture

Hommes célèbres. François Truffaut : le cinéma. – Jean-Marie Le Clézio : la littérature. – André Le Nôtre : l'art des jardins. – Camille Pissarro : la peinture. – Juliette Gréco : la chanson. – Louis Renault : l'industrie. – Georges Clemenceau : la politique. – Louis Le Vau : la peinture. – André Malraux : la littérature et la politique. – Louis Arago : la physique. – Le Douanier Rousseau : la peinture. – Jean-Philippe Rameau : la musique.

19 douzième - deuxième /u/ - /ø/

Exercices p. 69

3 Ces deux vestes

1. Les deux vous tentent ? – 2. Les deux vous vont ? – 3. Les deux vous conviennent ? – 4. Les deux vous semblent chères ?

4 Mes parents et moi.

1. Ils sont soucieux pour moi. – 2. Ils sont nerveux pour moi. – 3. Ils sont anxieux pour moi. – 4. Ils sont ambitieux pour moi. – 5. Ils sont heureux pour moi.

> ### À vous !   Toutes les deux ?
> 1. Il peut vous rencontrer toutes les deux. – 2. Il peut vous inviter toutes les deux. – 3. Il peut vous attendre toutes les deux.

Exercices p. 70

7 La météo

1. Ça s(e)ra pluvieux sous peu. – 2. Ça s(e)ra neigeux sous peu. – 3. Ça s(e)ra brumeux sous peu. – 4. Ça s(e)ra orageux sous peu.

> ### À vous !   Touriste...
> 1. Retiens-en deux ou trois ! – 2. Choisis-en deux ou trois ! – 3. Appelles-en deux ou trois ! – 4. Visites-en deux ou trois ! – 5. Demandes-en deux ou trois !

Exercices p. 71

10 Eux ou vous ?

1. Sans eux ou sans vous ? – 2. Par eux ou par vous ? – 3. Pour eux ou pour vous ? – 4. Chez eux ou chez vous ?

> ### À vous !   Je peux aussi.
> 1. Si vous pouvez l(e) croire, je peux aussi. – 2. Si vous pouvez l(e) supporter, je peux aussi. – 3. Si vous pouvez l(e) comprendre, je peux aussi. – 4. Si vous pouvez l(e) chercher, je peux aussi.

Écriture

Nom / adjectif. 1. coût : coûteux. – 2. fougue : fougueux. – 3. doute : douteux. – 4. mousse : mousseux. – 5. souci : soucieux. – 6. goût : goûteux. – 7. oubli : oublieux. – 8. miel : mielleux. – 9. vigueur : vigoureux. – 10. saveur : savoureux. – 11. douleur : douloureux. – 12. rigueur : rigoureux.

20 œufs - œuf   /ø/ - /œ/

Exercices p. 73

3 Bien sûr que j(e) le veux !

1. Bien sûr que j(e) veux leur explication. – 2. Bien sûr que j(e) veux leur assurance. – 3. Bien sûr que j(e) veux leur invitation. – 4. Bien sûr que j(e) veux leur signature.

4 Deux seulement

1. J'en mange deux seulement. – 2. J'en casse deux seulement. – 3. J'en prends deux seulement.

> ### À vous !   À quelle heure ?
> 1. À quelle heure tu peux m(e) rencontrer ? – 2. À quelle heure tu peux m(e) téléphoner ? – 3. À quelle heure tu peux m(e) joindre ? – 4. À quelle heure tu peux m(e) parler ? – 5. À quelle heure tu peux m(e) rendre visite ?

Exercices p. 74

7 Précis

1. Il est presque deux heures deux. – 2. Il est presque vingt-deux heures. – 3. Il est presque vingt-deux heures deux.

1. Il n̲e̲ reste qu'un tout p(e)tit peu d(e) bœuf. – 2. Il n̲e̲ reste qu'un tout p(e)tit peu d(e) tilleul. – 3. Il n̲e̲ reste qu'un tout p(e)tit peu d(e) cerfeuil. – 4. Il n̲e̲ reste qu'un tout p(e)tit peu d(e) millefeuille.

À vous !   **C'est la meilleure !**

1. Ah ! La meilleure des marcheuses ! – 2. Ah ! La meilleure des joggeuses ! – 3. Ah ! La meilleure des lutteuses ! – 4. Ah ! La meilleure des tireuses ! – 5. Ah ! La meilleure des volleyeuses !

Exercices p. 75

9   Indicatif / subjonctif

1. Il nous émeut un peu. / Il se peut qu'il nous émeuve un peu. – 2. Il nous en veut un peu. / Il se peut qu'il nous en veuille un peu.

11   Tes copains et toi

1. Bien sûr, ils sont farceurs eux aussi. – 2. Bien sûr, ils sont blagueurs eux aussi. – 3. Bien sûr, ils sont rêveurs eux aussi. – 4. Bien sûr, ils sont bluffeurs eux aussi.

À vous !   **Loin ?**

1. Pourvu qu'eux deux veuillent déménager ! – 2. Pourvu qu'eux deux veuillent s'en aller ! – 3. Pourvu qu'eux deux veuillent s'éloigner !

Écriture

Proverbes en verlan. Qui vole un œuf, vole un bœuf / *Qui va à la teuf, y va avec une meuf* / *Qui cherche son keus, trouve des keufs* / *Qui respecte son reup, respecte sa reum.*

21   les - le   /e/ - /ə/

Exercices p. 77

3   À la papeterie

1. Y' a pas d(e) stylos. – 2. *Y' a pas d(e) cahiers. – 3. *Y' a pas d(e) crayons. – 4. *Y' a pas d(e) gommes.

4   Très !

1. Ce livre ? Très récent. – 2. Ce film ? Très beau. – 3. Ce programme ? Très nouveau. – 4. Ce concert ? Très bien.

À vous !   **Pour le dîner…**

1. Mais oui, coupe-l̲e̲ ! – 2. Mais oui, prépare-l̲e̲ ! – 3. Mais oui, sors-l̲e̲ ! – 4. Mais oui, sers-l̲e̲ !

Exercices p. 78

7   Il fait froid !

1. Excusez-moi, ce sont mes chaussures… – 2. Excusez-moi, ce sont mes bottes… – 3. Excusez-moi, ce sont mes lunettes… – 4. Excusez-moi, ce sont mes gants… – 5. Excusez-moi, ce sont mes moufles…

8   Conseil.

1. Ce financier et ses assistants. – 2. Ce banquier et ses assistants. – 3. Ce P.D.G. et ses assistants.

À vous !   **Le journal**

1. Paie-l̲e̲ évidemment ! – 2. Lis-l̲e̲ évidemment ! – 3. Donne-l̲e̲ évidemment ! – 4. Jette-l̲e̲ évidemment !

---

9 Pluriel / singulier

1. Contestez tout ! / Conteste tout ! – 2. Démontrez tout ! / Démontre tout ! – 3. Adaptez tout ! / Adapte tout ! – 4. Acceptez tout ! / Accepte tout !

11 Rassurez-vous !

1. Rassurez-vous, je n(e) m'attriste plus. – 2. Rassurez-vous, je n(e) m'alarme plus. – 3. Rassurez-vous, je n(e) m'emporte plus. – 4. Rassurez-vous, je n(e) m'énerve plus.

À vous !   Enthousiaste !

1. C'est l(e) musicien qu(e) vous préférez ? – 2. C'est l(e) comédien qu(e) vous préférez ? – 3. C'est l(e) modèle qu(e) vous préférez ? – 4. C'est l(e) mannequin qu(e) vous préférez ?

---

22 j'ai - je   /e/ - /ə/

Exercices p. 81

2 Présent / passé composé

1. Il s'est préparé. – 2. Il s'est dépêché. – 3. Il s'est décidé.

À vous !   Oui, je crois !

1. C'est juste, je crois ! – 2. C'est faux, je crois ! – 3. C'est sûr, je crois ! – 4. C'est clair, je crois !

---

3 Et moi !

1. Moi aussi, je maigris beaucoup. – 2. Moi aussi, je grandis beaucoup. – 3. Moi aussi, je mincis beaucoup.

4 Demain

1. Moi, j(e) le propose demain. – 2. Moi, j(e) le réclame demain. – 3. Moi, j(e) le prête demain. – 4. Moi, j(e) le prépare demain.

Exercices p. 82

6 Passé composé / présent

1. C'est c(e) que j(e) peins. – 2. C'est ce que je finis. – 3. C'est ce que je saisis.

7 Ça ne va pas.

1. Eh bien, remont(e)-le ! – 2. Eh bien, rebranch(e)-le ! – 3. Eh bien, reviss(e)-le ! – 4. Eh bien, rebouch(e)-le !

À vous !   Une deuxième fois.

1. Bien sûr ! On l'a même relu ! – 2. Bien sûr ! On l'a même repris ! – 3. Bien sûr ! On l'a même refait ! – 4. Bien sûr ! On l'a même reconnecté ! – 5. Bien sûr ! On l'a même recontrôlé !

Exercices p. 83

10 Impatient

1. D'ailleurs, je t'ai embauché tout d(e) suite. – 2. D'ailleurs, je t'ai convoqué tout d(e) suite. – 3. D'ailleurs, je t'ai pris tout d(e) suite.

À vous !   Recommence !

1. C'est ça, refais tout c(e) que j'ai fait. – 2. C'est ça, repeins tout c(e) que j'ai peint. – 3. C'est ça, retranscris tout c(e) que j'ai transcrit. – 4. C'est ça, retraduit tout c(e) que j'ai traduis.

Adjectif / nom. 1. Ferme, la fermeté. – 2. Propre, la propreté. – 3. Chaste, la chasteté. – 4. Âpre, l'âpreté. – 5. Âcre, l'âcreté. – 6. Opiniâtre, l'opiniâtreté.

23 la - le /a/ - /ə/

Exercices p. 85

2 Féminin / masculin

1. Il le met. – 2. Il le prend. – 3. Il le pose.

3 Eh bien, fais-la !

1. Eh bien, traduis-la ! – 2. Eh bien, finis-la ! – 3. Eh bien, fais-la !

4 D'accord !

1. D'accord, j(e) le mange. – 2. D'accord, j(e) le prépare. – 3. D'accord, j(e) le coupe.

> ## À vous ! Lui, pas elle !
> 1. Le fleuriste, non, la fleuriste. – 2. Le dentiste, non, la dentiste. – 3. Le cinéaste, non, la cinéaste. – 4. Le chorégraphe, non, la chorégraphe.

Exercices p. 86

7 Où ? Là !

1. Mets-le là ! – 2. Pose-le là ! – 3. Range-le là ! – 4. Gare-le là !

> ## À vous ! Jamais rien !
> 1. Il ne dit jamais rien... – 2. Il ne produit jamais rien... – 3. Il ne choisit jamais rien... – 4. Il ne finit jamais rien...

8

1. Ce linguiste ne pratique plus la linguistique. – 2. Ce comptable ne pratique plus la comptabilité. – 3. Ce biologiste ne pratique plus la biologie. – 4. Ce psychologue ne pratique plus la psychologie. – 5. Ce médecin ne pratique plus la médecine.

Exercices p. 87

9 Féminin / masculin

1. Consulte-le ! – 2. Adopte-le ! – 3. Administre-le ! – 4. Rencontre-le !

11 Il ne l'a pas fait.

1. Non, non, il ne l'a pas demandé. – 2. Non, non, il ne l'a pas négocié. – 3. Non, non, il ne l'a pas reporté. – 4. Non, non, il ne l'a pas payé.

> ## À vous ! Absolument pas !
> 1. Absolument pas d(e) remords ! – 2. Absolument pas d(e) remarques ! – 3. Absolument pas d(e) relations ! – 4. Absolument pas d(e) recours ! – 5. Absolument pas d(e) reçus ! – 6. Absolument pas d(e) recettes!

LES VOYELLES NASALES

Quelles sont vos difficultés ? p. 89

Test 1
1. J'ai bien **fait**. – 2. **Peins** ce cahier. – 3. Il se **tait** un peu trop. – 4. J'aime le **lait** frais.

Test 2
1. C'est trop **grand**. – 2. L'**orage** arrive d'Espagne. – 3. **Jean** n'en a pas. – 4. **Lace**-le !

Test 3
1. C'est trop **beau** ! – 2. **Faut**-il s'asseoir ? – 3. Ce **pont** est très ancien. – 4. Le **ton** monte.

Test 4
1. Il y en a quelques-unes. – 2. Une architecte a été consultée. – 3. Chacun peut en demander. – 4. Je n'ai aucun ami.

Test 5
1. Je ne supporte pas le **vin**. – 2. Ça coûte **cent** millions d'euros. – 3. **Emportez**-les ! – 4. **Éteins**-les !

Test 6
1. Il me semble **long**. – 2. **Emporte** un panier ! – 3. Ils **sont** mauvais. – 4. Ne la **trempe** pas.

Test 7
1. Elle va le **peindre**. – 2. Le **temps** est frais. – 3. J'ai vu **son** livre.

24   lait - lin   /ɛ/ - /ɛ̃/
Exercices p. 91

2   C'est impossible.
1. Après-demain, c'est impossible. – 2. Le mois prochain, c'est impossible. – 3. Au mois de juin, c'est impossible. – 4. Lundi, c'est impossible.

4   Nombres.
1. cinq plus quinze égale ving(t). – 2. ving(t) plus cinq égale vingt-cinq. – 3. ving(t) moins cinq égale quinze. – 4. ving(t) moins quinze égale cinq. – 5. Cinq fois cinq égale vingt-cinq. – 6. vingt-cinq divisé par cinq égale cinq.

> **À vous !**   **C'est vrai !**
> 1. C'est vrai, c'est insupportable... – 2. C'est vrai, c'est indiscutable... – 3. C'est vrai, c'est introuvable... – 4. C'est vrai, c'est imbuvable...

25   plat - plan   /a/ - /ɑ̃/
Exercices p. 93

1   Adjectifs possessifs
1. Va dans sa chambre ! – 2. Va dans ta chambre ! – 3. Va dans ma chambre !

3   Pas du tout !
1. Je (ne) suis pas en avance du tout ! – 2. Je (ne) suis pas en panne du tout ! – 3. Je (ne) suis pas embarrassé du tout !

4   *Si t'as envie !
1. Si t(u) as envie, range-la ! – 2. Si t(u) as envie, lance-la ! – 3. Si t(u) as envie, mange-la ! – 4. Si t(u) as envie, change-la !

> ### À vous !　　Où est ta maison ?
> 1. Elle est avant la gare. – 2. Elle est avant la mairie. – 3. Elle est avant la chapelle. – 4. Elle est avant la grand'place.

Exercices p. 94

> ### À vous !　　On ne va pas le garder...
> 1. Il en a encore brûlé ? – 2. Il en a encore renversé ? – 3. Il en a encore brisé ? – 4. Il en a encore abîmé ? – 5. Il en a encore tâché ? – 6. Il en a encore injurié ?

7　C'est *embêtant !

1. Embarrassant, pas tant qu(e) ça ! – 2. *Empoisonnant, pas tant qu(e) ça ! – 3. Enthousiasmant, pas tant qu(e) ça ! – 4. Encourageant, pas tant qu(e) ça !

Écriture

Chanson populaire. Mon père m'a donné un étang / Il n'est pas large comme il est grand. / Trois beaux canards s'en vont nageant / *Le fils du roi s'en vint chassant / Avec son beau fusil d'argent / Visa le noir, tua le blanc / Oh ! Fils du roi tu es méchant ! / Tu as tué mon canard blanc.*

Exercices p. 95

10　Comment ?

1. Comment en avez-vous trouvé ? – 2. Comment en avez-vous obtenu ? – 3. Comment en avez-vous reçu ? – 4. Comment en avez-vous pris ?

> ### À vous !　　C'est vrai...
> 1. Ça c'est vrai. Tu as répondu prudemment. – 2. Ça c'est vrai. Tu as répondu insolemment. – 3. Ça c'est vrai. Tu as répondu intelligemment. – 4. Ça c'est vrai. Tu as répondu innocemment.

26　beau – bon　　/o/ - /õ/
Exercices p. 97

> ### À vous !　　Allons-y !
> 1. D'accord, allons au théâtre ! – 2. D'accord, allons au cirque ! – 3. D'accord, allons au restaurant ! – 4. D'accord, allons au musée !

2　Non, non !

1. *Non, (il) faut qu'on l(e) demande. – 2. *Non, (il) faut qu'on l(e) composte. – 3. *Non, (il) faut qu'on l(e) paie.

4　Sinon...

1. Ah bon ! Sinon on l'aurait informé nous-mêmes. – 2. Ah bon ! Sinon on l'aurait excusé nous-mêmes. – 3. Ah bon ! Sinon on l'aurait averti nous-mêmes. – 4. Ah bon ! Sinon on l'aurait emmené nous-mêmes.

27　une - un　　/n/-/õ̃/
Exercices p. 99

2　Masculin / féminin

1. C'est une auditrice. – 2. C'est une électrice. – 3. C'est une agricultrice.

3   Oui, un.

1. J'en ai vu un. – 2. J'en ai perdu un. – 3. J'en ai reçu un. – 4. J'en ai retenu un.

4   Quelqu'un l'utilise ?

1. Quelqu'un utilise ton fax ? – 2. Quelqu'un utilise ta ligne ? – 3. Quelqu'un utilise ton bureau ?

> **À vous !**   **J'en voudrais bien.**
>
> 1. J'en mangerais bien une. – 2. J'en choisirais bien une. – 3. J'en commanderais bien une. – 4. J'en boirais bien une.

Exercice p. 100

5   Masculin / féminin

1. Quelques-unes écoutaient. – 2. Quelques-unes appréciaient. – 3. Quelques-unes applaudissaient.

7   L'un de nous.

1. L'un de nous l'a fermée. – 2. L'un de nous l'a rentrée. – 3. L'un de nous l'a attaché. – 4. L'un de nous l'a arrosé.

8   (Il n')y en a qu'un.

1.(Il n')y en a qu'un qui l'enregistre. – 2. (Il n')y en a qu'un qui l'écoute. – 3. (Il n')y en a qu'un qui l'utilise.

> **À vous !**   **Un à chacune.**
>
> 1. Oui, à chacune un poster. – 2. Oui, à chacune un carton. – 3. Oui, à chacune un catalogue.

Exercices p. 101

10   Masculin / féminin

1. Aucune ne saura. – 2. Aucune ne pourra. – 3. Aucune ne verra.

11   On te l'a dit ?

1. Un copain m(e) l'a signalé. – 2. Un copain m(e) l'a révélé. – 3. Un copain m(e) l'a fait savoir. – 4. Un copain m(e) l'a annoncé.

> **À vous !**   **Chacun une.**
>
> 1. Chacun en a exigé une. – 2. Chacun en a imposé une. – 3. Chacun en a indiqué une. – 4. Chacun en a accepté une.

28   cinq - cent   /ɛ̃/ - /ɑ̃/

Exercices p. 103

3   Tu reviens quand ?

1. Pas avant l(e) ving(t) novembre. – 2. Pas avant l(e) ving(t) décembre. – 3. Pas avant l(e) ving(t) janvier. – 4. Pas avant l(e) ving(t) juin.

4   Vraiment ?

1. Vraimen(t) impressionnant ! – 2. Vraimen(t) intimidant ! – 3. Vraimen(t) insuffisant ! – 4. Vraimen(t) indifférent !

> **À vous !**   **Ouais, ma petite sœur...**
>
> 1. *Ouais... Elle devient *embêtante. – 2. *Ouais... Elle devient charmante. – 3. *Ouais... Elle devient fatigante. – 4. *Ouais... Elle devient *marrante.

Exercices p. 104

7 **Vincent**

1. Je pense interroger Vincent. – 2. Je pense inviter Vincent. – 3. Je pense interviewer Vincent. – 4. Je pense installer Vincent.

8 **Je veux bien.**

1. Je veux bien m'en occuper. – 2. Je veux bien m'en assurer. – 3. Je veux bien m'en expliquer. – 4. Je veux bien m'en excuser.

> **À vous !** **Sandrine t'attend.**
>
> 1. Vraiment ? Dans un instant ? – 2. Vraiment ? En juin ? – 3. Vraiment ? Au printemps ?

Exercices p. 105

10 **Projet de film**

1. Oh oui, commandes-en un ! – 2. Oh oui, demandes-en un ! – 3. Oh oui, branches-en un ! – 4. Oh oui, changes-en un ! – 5. Oh oui, lances-en un !

> **À vous !** **Impensable !**
>
> 1. Impensable ! Il est inégalable ! 2. Impensable ! Il est inattaquable ! 3. Impensable ! Il est inoubliable ! 4. Impensable ! Il est inimaginable ! 5. Impensable ! Il est inexplicable !

Écriture

Adjectif / adverbe. 1. ancien : anciennement. – 2. humain : humainement. – 3. certain : certainement. – 4. souverain : souverainement. – 5. soudain : soudainement. – 6. sain : sainement. – 7. vain : vainement. – 8. plein : pleinement. – 9. serein : sereinement.

29 long - lent /õ/ - /ã/

Exercices p. 107

3 **Vous rentrez quand ?**

1. On pense rentrer dans quarante jours. – 2. On pense rentrer dans cent jours. – 3. On pense rentrer dans onze jours. – 4. On pense rentrer dans cent onze jours.

> **À vous !** **Qui est-ce ?**
>
> 1. C'est mon grand neveu. – 2. C'est mon grand cousin. – 3. C'est mon grand-père. – 4. C'est mon grand-_noncle.

4 **Ah bon ?**

1. Ah, bon ? En Angola ? – 2. Ah, bon ? En Iran ? – 3. Ah, bon ? En °Hollande ? – 4. Ah, bon ? En °Hongrie ?

Exercices p. 108

6 **On en a – On n'en a pas.**

1. On en produit. / On n'en produit pas. – 2. On en fabrique. / On n'en fabrique pas. – 3. On en construit. / On n'en construit pas. – 4. On en dessine. / On n'en dessine pas. – 5. On en publie. / On n'en publie pas.

> **À vous !** **Quand on pourra.**
>
> 1. On voyagera quand on pourra. – 2. On partira quand on pourra. – 3. On reviendra quand on pourra. – 4. On repartira quand on pourra.

10 **Bon, comment ?**

1. Bon, mais commen(t) on en discute ? – 2. Bon, mais commen(t) on en cause ? – 3. Bon, mais commen(t) on en débat ?

> ## À vous ! **Préparatifs**
>
> 1. Ils en ont enregistré beaucoup ? – 2. Ils en ont envoyé beaucoup ? – 3. Ils en ont emporté beaucoup ? – 4. Ils en ont emmené beaucoup ?

Écriture

C'est en lisant *qu'on devient liseron.* – C'est en bûchant *qu'on devient bûcheron.* – *C'est en moussant qu'on devient mousseron.* – C'est en nappant *qu'on devient napperon.* – C'est en se mouchant *qu'on devient moucheron...*

30 frein - franc - front /ɛ̃/ - /ɑ̃/ - /õ/

Exercices p. 111

4 **Qu'est-ce qu'on a attendu !**

1. Enfin, on avance ! – 2. Enfin, on enregistre ! – 3. Enfin, on embarque !

> ## À vous ! **Ah non !**
>
> 1. Ah non, sans ton cousin ! – 2. Ah non, sans ton parrain ! – 3. Ah non, sans ton gamin !
> – 4. Ah non, sans le tien !

Exercices p. 112

6 **Combien ?**

1. Combien en aviez-vous ? – 2. Combien en aurez-vous ? – 3. Combien en auriez-vous ?

7 **On en prend.**

1. Très bien ! On en prend quinze. – 2. Très bien ! On en prend ving(t). – 3. Très bien ! On en prend ving**t**-cinq. – 4. Très bien ! On en prend cinquante.

8 **Le mien**

1. Revends donc le mien ! – 2. Défends donc le mien ! – 3. Lance donc le mien ! – 4. Change donc le mien ! – 5. Échange donc le mien !

> ## À vous ! **Quelle couleur ?**
>
> 1. Oui, on l(e) peint en marron. – 2. Oui, on l(e) peint en brun. – 3. Oui, on l(e) peint en bronze.
> – 4. Oui, on l(e) peint en bleu foncé.

Exercices p. 113

9 **les / en**

1. Ils en ont installé. – 2. Ils en ont imposé. – 3. Ils en ont indiqué.

> ## À vous ! **Pardon ?**
>
> 1. Pardon, depuis combien d(e) temps ? – 2. Pardon, pendant combien d(e) temps ? – 3. Pardon, dans combien d(e) temps ?

11   Tes meubles ?

1. Disons qu'ils sont bien embarrassants... – 2. Disons qu'ils sont bien envahissants... – 3. Disons qu'ils sont bien *embêtants...

III – LES CONSONNES

LES CONSONNES OCCLUSIVES

Quelles sont vos difficultés ? p. 117
Test 1
1. **Peigne**-le ! – 2. Il habite au **bord**. – 3. Le **pain** est tiède. – 4. C'est une **trombe**.

Test 2
1. **Des** amis habitent ici. – 2. Quel **ton** sympathique ! – 3. Ils les **tentent** aussi. – 4. Elles vous en **vendent**.

Test 3
1. **Guy** n'est pas là ? – 2. Ne les **écoute** pas ! – 3. Je n'aime pas ce **cri**. – 4. Où est votre **bac** ?

Test 4
Masculin ou féminin ?
1. Qu'est-ce que t(u) es grand ! – 2. Tu es petite mais tu grandiras ! – 3. Vous êtes longue à vous décider.
Singulier ou pluriel ?
1. Elles vous le promettent. – 2. Elle nous convainc assez. – 3. Elles rompent leur promesse.

31   port - bord   /p/ - /b/

Exercices p. 119

3   Combien ?

1. Combien d(e) poissons ? – 2. Combien d(e) poireaux ? – 3. Combien d(e) piments ? – 4. Combien d(e) poires ?

4   Presque !

1. Eh bien... C'est presqu͟e bleu ! – 2. Eh bien... C'est presqu͟e blanc ! – 3. Eh bien... C'est presqu͟e brun ! – 4. Eh bien... C'est presqu͟e blond !

À vous !   Le beau Patrick

1. C'est l(e) plus bête ! – 2. C'est l(e) plus bizarre ! – 3. C'est l(e) plus bavard ! – 4. C'est l(e) plus brutal ! – 5. C'est l(e) plus brillant !

Exercices p. 120

7   Pense bien !

1. Pense bie(n) à la laisser. – 2. Pense bie(n) à la garder. – 3. Pense bie(n) à la poster. – 4. Pense bie(n) à la vider. – 5. Pense bie(n) à la ranger.

8   Bien sûr...

1. Bien sûr, c'est souple ! – 2. Bien sûr, c'est propre ! – 3. Bien sûr, c'est sombre ! – 4. Bien sûr, c'est probable !

À vous !   Brocante

1. Cette fable ? Plus ou moins. – 2. Ce meuble ? Plus ou moins. – 3. Ce cartable ? Plus ou moins. – 4. Ce timbre ? Plus ou moins.

---

11 **Pfff...**

1. Pfff, c'est un p̱seudo-brocanteur ! – 2. Pfff, c'est un p̱seudo-breton ! – 3. Pfff, c'est une p̱seudo-blonde ! – 4. Pfff, c'est une p̱seudo-brune !

À vous !   **Négatif !**

1. Pas d'arb(re) de Noël. – 2. Pas d(e) table de nuit. – 3. Pas d(e) cham(re) d'enfants. – 4. Pas d(e) quat(re) de carreau.

Écriture

Verbe / adjectif. 1. préférer : préférable. – 2. prononcer : prononçable. – 3. pratiquer : praticable. – 4. présenter : présentable. – 5. plier : pliable. – 6. respecter : respectable. – 7. exploiter : exploitable. – 8. habiter : habitable. – 9. souhaiter : souhaitable. – 10. épouvanter : épouvantable. – 11. permuter : permutable. – 12. profiter : profitable. – 13. porter : portable. – 14. remplacer : remplaçable. – 15. aimer : aimable.

32 **tes - des**   /t/ - /d/

Exercices p. 123

3 **Sur votre droite.**

1. Derrière sur votr̲e droite. – 2. Dehors sur votr̲e droite. – 3. Dedans sur votr̲e droite.

4 **Sa tante aussi.**

1. Sa tante est blonde aussi. – 2. Sa tante est gourmande aussi. – 3. Sa tante est allemande aussi.

À vous !   ***Donne-lui !**

1. *Donne-lui donc ton dictionnaire ! – 2. *Donne-lui donc ton diplôme ! – 3. *Donne-lui donc ton document ! – 4. *Donne-lui donc ton ordinateur ! – 5. *Donne-lui donc ton décodeur !

Exercices p. 124

6 **Masculin / féminin**

1. C'est une grande artiste. – 2. C'est une grande architecte. – 3. C'est une grande interprète. – 4. C'est une grande intellectuelle.

7 **Pas du tout !**

1. Pas d(e) risques du tout ! – 2. Pas d(e) résultats du tout ! – 3. Pas d(e) règles du tout ! – 4. Pas d(e) résistances du tout !

8 **Pourquoi tant ?**

1. Et pourquoi tant d(e) problèmes ? – 2. Et pourquoi tant d(e) préoccupations ? – 3. Et pourquoi tant d(e) contrariétés ? – 4. Et pourquoi tant d(e) tracas ?

À vous !   **C'est interdit !**

1. Il est interdit d(e) monter aux arbres. – 2. Il est interdit d(e) jouer dans le jardin. – 3. Il est interdit d(e) ramasser des champignons. – 4. Il est interdit d(e) pêcher les poissons. – 5. Il est interdit d(e) cueillir des fleurs.

Exercices p. 125

11 **Tu as raison.**

1. * T(u) as raison,(il) y en a d(e) très grands. – 2. * T(u) as raison,(il) y en a d(e) très beaux. – 3. * T(u) as raison,(il) y en a d(e) très vieux. – 4. * T(u) as raison,(il) y en a d(e) très hauts.

> **À vous !** **Il ne faut pas...**
>
> 1. Ah non ! Il ne faut pas qu(e) tu répondes. – 2. Ah non ! Il ne faut pas qu(e) tu confondes. – 3. Ah non ! Il ne faut pas qu(e) tu vendes. – 4. Ah non ! Il ne faut pas qu(e) tu perdes.

Écriture

Je me souviens de tant de choses / De tant de soirs / De tant de *chambres* / De tant de marches / De tant de colères / De tant de haltes dans des lieux nuls [...] (Louis Aragon , 1897-1982).

33 **cou - goût** /k/ - /g/

Exercices p. 127

> **À vous !** **C'est qui ?**
>
> 1. C'est qui, Gaston ? – 2. C'est qui, Guillaume ? – 3. C'est qui, Gaétan ? – 4. C'est qui, Gaëlle ? – 5. C'est qui, Gabrielle ?

3 **Lequel ?**

1. Quel gardien ? – 2. Quel guitariste ? – 3. Quel guide ? – 4. Quel guérisseur ?

4 **Combien ?**

1. Combien de galettes ? – 2. Combien de grogs ? – 3. Combien de gourmandises ? – 4. Combien de groseilles ? – 5. Combien de glaces ?

Exercices p. 128

7 **Qu'est-ce qu'il gagne...**

1. Qu'est-ce qu'il gagne au canoë ? – 2. Qu'est-ce qu'il gagne au cross ? – 3. Qu'est-ce qu'il gagne au karaté ?

8 **Et comment !**

1. Et comment ! Quel grand compositeur ! – 2. Et comment ! Quel grand collectionneur ! – 3. Et comment ! Quel grand comédien !

> **À vous !** **Quelques-uns...**
>
> 1. Quelques grains, comme d'habitude. – 2. Quelques granules, comme d'habitude. – 3. Quelques graines, comme d'habitude.

Exercices p. 129

10 **Malgré les critiques ?**

1. Confir**mer** malgré les cri**ti**ques ? 2. Complé**ter** malgré les cri**ti**ques ? 3. Commen**cer** malgré les cri**ti**ques ? – 4. Commercial**iser** malgré les cri**ti**ques ?

11 **Aïe !**

1. J'ai un truc qui guérit les courbatures. – 2. J'ai un truc qui guérit les contractures.

> ### À vous !   Je crains les accidents.
>
> 1. C'est pour ça que je crains la glace. – 2. C'est pour ça que je crains le gravier. – 3. C'est pour ça que je crains le verglas. – 4. C'est pour ça que je crains le gaz.

34 tape - tate - tac

Exercices p. 131

3 Vraiment trop !

1. Elle est vraiment trop bête. – 2. Elle est vraiment trop idiote. – 3. Elle est vraiment trop sotte.

4 Quelle blague !

1. Toi, trop grande ? Quelle blague ! – 2. Toi, trop laide ? Quelle blague ! – 3. Toi, trop blonde ? Quelle blague ! – 4. Toi, trop lente ? Quelle blague ! – 5. Toi, trop rapide ? Quelle blague !

> ### À vous !   Tout juste.
>
> 1. Quarante ? Tout juste. – 2. Cinquante ? Tout juste. – 3. Soixante ? Tout juste.

Écriture

Adverbe / adjectif. 1. classiquement : classique – 2. automatiquement : automatique. – 3. tragiquement : tragique. – 4. scientifiquement : scientifique. – 5. magnifiquement : magnifique. – 6. techniquement : technique. – 7. politiquement : politique. – 8. historiquement : historique. – 9. physiquement : physique.

Exercices p. 132

7 Masculin / féminin.

1. Qu'est-ce qu'elle est sourde ! – 2. Qu'est-ce qu'elle est longue ! – 3. Qu'est-ce qu'elle est profonde !

8 Je pense, je ne pense pas.

1. Ah ? Je ne pense pas qu'elle confonde. – 2. Ah ? Je ne pense pas qu'elle attende. – 3. Ah ? Je ne pense pas qu'elle réponde.

> ### À vous !   En fait, tu te trompes !
>
> 1. En fait, elle en a trente-cinq. – 2. En fait, elle en a quarante-cinq. – 3. En fait, elle en a cinquante-cinq.

Exercices p. 133

> ### À vous !   Dans les Alpes du Sud.
>
> 1. Luc ? Dans les Alpes du Sud. – 2. Claude ? Dans les Alpes du Sud. – 3. Khaled ? Dans les Alpes du Sud. – 4. Philippe ? Dans les Alpes du Sud. – 5. Baptiste ? Dans les Alpes du Sud.

Écriture

Argot. 1. un agent de police = un flic – 2. des vêtements = des fringues – 3. un homme = un mec – 4. l'argent = le fric – 5. une cigarette = une clope – 6. fou = dingue.

LES CONSONNES CONSTRICTIVES

Quelles sont vos difficultés ? p. 135

Test 1
1. **Font**-ils livrer ? – 2. Je **vais** rire. – 3. C'est bien **frais**. – 4. Beaucoup sont **neuves**

Test 2
1. Ils **ont** fermé. – 2. C'est du **poisson**. – 3. La **base** est faible. – 4. Elles sont **douces**.

Test 3
1. J'ai **ri**. – 2. **Bouchez**-le ! – 3. Ce tableau est **léger**. – 4. Mets-le en **marche**.

Test 4
1. **Chez** mon père. – 2. Ce sont vos **choix** ? – 3. Ne le **casse** pas… – 4. Je me sens bien **lasse** !

Test 5
1. **Jaune** foncé. – 2. **Les jeux** sont faits. – 3. Un **zeste** d'humour. – 4. Remets-le dans la **case** !

Test 6
1. **Viens** vite ! – 2. Tu **bois** un café ? – 3. Je suis à **bout**. – 4. Il faut racheter trois **cuves**.

35 fer - ver   /f/ - /v/

Exercices p. 137

3   Le voilà !

1. Voilà Francis ! – 2. Voilà Frédéric ! – 3. Voilà Philippe ! – 4. Voilà Félix ! – 5. Voilà Fabien ! – 6. Voilà Florence ! – 7. Voilà Fatima ! – 8. Voilà Sophie ! – 9. Voilà Stéphanie ! – 10. Voilà Koffi ! – 11. Voilà Raphaël ! – 12. Voilà Sofiane !

4   Je vais le faire.

1. Je vais forcer fermer. – 2. Je vais fouiller fermer. – 3. Je vais foncer fermer. – 4. Je vais frapper fermer.

> **À vous !**   **On se voit quand ?**
> 1. Rendez-vous vendredi neuf novembre. – 2. Rendez-vous vendredi neuf avril. – 3. Rendez-vous vendredi neuf février.

Exercices p. 138

7   Il faudrait…

1. Il faudrait qu'il s'inscrive… – 2. Il faudrait qu'il poursuive… – 3. Il faudrait qu'il reçoive…

8   Veinard !

1. Veinard ! J'en ferais volontiers, du vélo. – 2. Veinard ! J'en ferais volontiers, du VTT. – 3. Veinard ! J'en ferais volontiers, du vol à voile. – 4. Veinard ! J'en ferais volontiers, de la voile. – 5. Veinard ! J'en ferais volontiers, de la wave.

> **À vous !**   **C'est fait !**
> 1. J(e) vais les fermer. – Pas la peine, j(e) viens d(e) les fermer ! – 2. J(e) vais les finir. – Pas la peine, j(e) viens d(e) les finir ! – 3. J(e) vais les former. – Pas la peine, j(e) viens d(e) les former ! – 4. J(e) vais les féliciter. – Pas la peine, j(e) viens d(e) les féliciter !

Exercices p. 139

11 **Indicatif – infinitif – subjonctif.**

1. Elle vous poursuit. – Elle veut vous poursuivre. – Il ne faut pas qu'elle vous poursuive. – 2. Elle vous reçoit. – Elle veut vous recevoir. – Il ne faut pas qu'elle vous reçoive. – 3. Elle vous déçoit. – Elle veut vous décevoir. – Il ne faut pas qu'elle vous déçoive.

12 **Vous n'en avez pas l'air !**

1. Vous, vous ne faites pas vraiment fragile ! – 2. Vous, vous ne faites pas vraiment farceur ! – 3. Vous, vous ne faites pas vraiment froussard ! – 4. Vous, vous ne faites pas vraiment frimeur !

> **À vous !** **Ma famille.**
>
> 1. Je vais enfin voir votre fils ! – 2. Je vais enfin voir votre filleul ! – 3. Je vais enfin voir votre famille !

36 **poisson - poison** /s/ - /z/

Exercices p. 141

3 **C'est possible.**

1. C'est possible le treize. – 2. C'est possible le quinze. – 3. C'est possible le quatorze. – 4. C'est possible le seize.

4 **Très !**

1. C'était très embarrassant. – 2. C'était très impressionnant. – 3. C'était très éblouissant.

> **À vous !** **Ça oui…**
>
> 1. Ça oui, vous êtes snob… – 2. Ça oui, vous êtes skieur… – 3. Ça oui, vous êtes slalomeur… – 4. Ça oui, vous êtes stressé… – 5. Ça oui, vous êtes spécialiste…

Exercices p. 142

7 **Assez peu !**

1. Il faudrait qu'elle conduise plus. – 2. Il faudrait qu'elle construise plus. – 3. Il faudrait qu'elle se produise plus.

8 **On sait.**

1. On sait que vous en avez dix ! – 2. On sait que vous en avez douze ! – 3. On sait que vous en avez seize !

> **À vous !** **Mais vous les avez !**
>
> 1. Mais vous les avez, les conditions ! – 2. Mais vous les avez, les statistiques ! – 3. Mais vous les avez, les coordonnées ! – 4. Mais vous les avez, ses mots de passe ! – 5. Mais vous les avez, ses identifiants !

Écriture

Allitérations en /s/ /z/. *La mollesse oppressée / Dans sa bouche, à ces mots, sent sa langue glacée…* (Nicolas Boileau, 1636-1711).
Habitant de Cythère, enfant d'un ciel si beau, / Silencieusement tu souffrais ces insultes (Baudelaire, 1821-1867, Voyage à Cythère).
La poésie […] symbiose du son et du sens. (Paul Valéry, 1871-1945, *Regards sur le monde actuel*).

29

Exercices p. 143

11 Tous…

1. On est tou**s** sous informés ! – 2. On est tou**s** sous-employés ! – 3. On est tou**s** sous-estimés !

12 Je suppose !

1. Je suppose… Aux alentours de 1600… – 2. Je suppose… Aux alentours de 1700… – 3. Je suppose… Aux alentours de 1500…

> ### À vous !   C'est ça !
> 1. C'est ça, on s(e) surveille. – 2. C'est ça, on s(e) supporte. – 3. C'est ça, on s(e) sacrifie. – 4. C'est ça, on s(e) suit.

37 chou - joue   /ʃ/ - /ʒ/

Exercices p. 145

3 Génial !

1. Génial ! J'ai gagné… – 2. Génial ! J'ai progressé… – 3. Génial ! J'ai avancé…

4 Juste une page

1. Je consulte juste une page. – 2. Je copie juste une page. – 3. Je photocopie juste une page. – 4. J'étudie juste une page.

> ### À vous !   Jamais !
> 1. Jamais d(e) champignons ! – 2. Jamais d(e) chocolat ! – 3. Jamais d(e) chantilly ! – 4. Jamais d(e) chou !

Exercices p. 146

7 Justement…

1. Justement, je cherche une chanson. – 2. Justement, je cherche une chemise. – 3. Justement, je cherche une chaise.

8 Un dimanche

1. Oui, un dimanche en Géorgie. – 2. Oui, un dimanche à Jérusalem. – 3. Oui, un dimanche au Japon. – 4. Oui, un dimanche en Jordanie.

> ### À vous !   Dommage !
> 1. Dommage! Changeons d(e) journal ! – 2. Dommage ! Changeons d(e) jeu ! – 3. Dommage! Changeons d(e) jouet !

Écriture

Verbe / nom. 1. défricher : défrichage – 2. accrocher : accrochage – 3. afficher : affichage – 4. coucher : couchage – 5. arracher : arrachage – 6. repêcher : repêchage – 7. sécher : séchage – 8. reboucher : rebouchage – 9. rabâcher : rabâchage.

Exercices p. 147

11 Chaque fois que je peux.

1. Je chasse chaque fois qu(e) je peux. – 2. Je pêche chaque fois qu(e) je peux. – 3. Je plonge chaque fois qu(e) je peux. – 4. Je nage chaque fois qu(e) je peux.

> **À vous !**   C'est ce que je fais.
> 1. C'est c(e) que j(e) change. – 2 C'est c(e) que j(e) choisis. – 3. C'est c(e) que j(e) chine.

Écriture

Petites annonces. Cherche jeune femme riche, chaleureuse, joyeuse, *Cherche jeune homme gentil, charmant, généreux, chercheur en géologie. / Cherche danseuse ou changeuse suisse. / Cherche chambre sans eau chaude. / Cherche à changer chaudière à gaz.*

38 soie - choix   /s/ - /ʃ/
Exercices p. 149

2 C'est chic !

1. C'est chaud et c'est cher... – 2. C'est chauffé et c'est cher... – 3. C'est charmant et c'est cher...

> **À vous !**   Quelle chance !
> 1. Tu signes ? Quelle chance ! – 2. Tu suis ? Quelle chance ! – 3. Tu sais ? Quelle chance !
> – 4. Tu saisis ? Quelle chance !

5 Pas celui-là.

1. Non, pas c(e) chercheur-là. – 2. Non, pas c(e) chanteur-là. – 3. Non, pas c(e) chauffeur-là. – 4. Non, pas c(e) chimiste-là.

39 les œufs - les jeux   /z/ - /ʒ/
Exercices p. 151

2 Avec Jean

1. Ils ont déjà joué avec Justin. – 2. Ils ont déjà joué avec Jacques. – 3. Ils ont déjà joué avec Julien. – 4. Ils ont déjà joué avec Jérôme. – 5. Ils ont déjà joué avec Jérémy.

> **À vous !**   Moi, jamais !
> 1. Moi, jamais je n(e) les ai dirigés. – 2. Moi, jamais je n(e) les ai corrigés. – 3. Moi, jamais je n(e) les ai changées.

5 Quand donc ?

1. Quand vous ai-j(e) amusé ? – 2. Quand vous ai-j(e) abusé ? – 3. Quand vous ai-j(e) apaisé ?

40 excellent - examen   /ks/ - /gz/
Exercices p. 153

2 Exactement ?

1. Excusez-moi, il est exactement quatorze heures ? – 2. Excusez-moi, il est exactement quinze heures ? – 3. Excusez-moi, il est exactement seize heures ? – 4. Excusez-moi, il est exactement six heures ?

> **À vous !**   Examinons-les !
> 1. Examinons ces expressions. – 2. Examinons ces expériences. – 3 Examinons ces explications.

4   **Il exagère toujours.**

1. Alexandre exagère son accent ! – 2. Alix exagère son accent ! – 3. Félix exagère son accent !

41 boire - voir   /b/ - /v/

Exercices p. 155

3   **Bien volontiers !**

1. Un beignet ? Bien volontiers. – 2. Un biscuit ? Bien volontiers. – 3. Une bière ? Bien volontiers.

À vous !   **C'est vrai !**

1. C'est vrai ! C'est bien ! – 2. C'est vrai ! C'est beau ! – 3. C'est vrai ! C'est bon ! – 4. C'est vrai ! C'est bas ! – 5. C'est vrai ! C'est bizarre ! – 6. C'est vrai ! C'est banal !

---

4   **Ça vous va ?**

1. Vers le vingt décembre, ça vous va ? – 2. Vers le vingt janvier, ça vous va ? – 3. Vers le vingt février, ça vous va ? – 4. Vers le vingt novembre, ça vous va ?

Exercices p. 156

7   **Vraiment bien !**

1. Vraiment bien informée ! – 2. Vraiment bien organisée ! – 3. Vraiment bien occupée !

8   **Oui, bientôt.**

1. Oui, je vais bientôt vous téléphoner. – 2. Oui, je vais bientôt vous montrer. – 3. Oui, je vais bientôt vous consulter. – 4. Oui, je vais bientôt vous expliquer.

À vous !   **Va pour un bon verre !**

1. Va pour un verre de bordeaux ! – 2. Va pour un verre de beaujolais ! – 3. Va pour un verre de bière !

Exercices p. 157

11   **Ça va avec ce vert.**

1. Ce blanc va bien avec ce vert. – 2. Ce beige va bien avec ce vert. – 3. Ce brun va bien avec ce vert.

12   **Les voisines et moi...**

1. Elles peuvent bien vous observer ! – 2. Elles peuvent bien vous énerver !

À vous !   **Ça (ne) vous arrive pas souvent.**

1. Ça (ne) vous arrive pas souvent d(e) bredouiller ! – 2. Ça (ne) vous arrive pas souvent d(e) bavarder ! – 3. Ça (ne) vous arrive pas souvent d(e) bosser ! – 4. Ça (ne) vous arrive pas souvent d(e) blaguer !

LES CONSONNES SONANTES

Quelles sont vos difficultés ? p. 159

Test 1
1. Ces **lits** n'ont pas de prix. – 2. Qu'est-ce que tu **sèmes** ! – 3. Il est toujours en **panne**. – 4. **Rome** est belle. – 5. C'est une **brume** fine.

Test 2
1. C'est bien **pire**. – 2. Vous avez reçu le **colis** ? – 3. Il donne des **cours**. – 4. C'est ta **voix**. – 5. Il est au **bar** de l'Échelle. – 6. On a **su** tout ça. – 7. On l'a **trouvé**. – 8. Il l'a **repris**.

Test 3
1. Il le longe. – 2. Ce riz est très cher ! – 3. Il faut ressortir. – 4. Je vais au bal.

42 sème - Seine - saigne   /m/ - /n/ - /ɲ/
Exercices p. 161

2 Et demie
1. Dix lign(es) et demie. – 2. Cinq lign(es) et demie. – 3. Huit lign(es) et demie.

3 J'aimerais bien…
1. J'aimerais bien qu'on me joigne. – 2. J'aimerais bien qu'on me plaigne. – 3. J'aimerais bien qu'on me contraigne.

> ## À vous !   Je l'ignore !
> 1. J'ignore si elle vient d'Espagne. – 2. J'ignore si elle vient d'Auvergne. – 3. J'ignore si elle vient de Bretagne. – 4. J'ignore si elle vient de Champagne. – 5. J'ignore si elle vient de Bourgogne. – 6. J'ignore si elle vient de Sologne.

Écriture

Nom / verbe. 1. gain : gagner. – 2. soin : soigner. – 3. bain : baigner. – 4. loin : éloigner. – 5. poing : empoigner. – 6. dédain : dédaigner. – 7. sang : saigner. – 8. coin : cogner

43 pas - par - paraît - parquet - prêt   /R/
Exercices p. 163

3 Particulièrement !
1. Particulièrement lourd. – 2. Particulièrement sourd. – 3. Particulièrement vert.

> ## À vous !   Il est formidable !
> 1. C'est un formidable interprète ! – 2. C'est un formidable organiste ! – 3. C'est un formidable architecte ! – 4. C'est un formidable urbaniste !

4 J'en suis sûr !
1. Je suis sûr qu'il va choisir. – 2. Je suis sûr qu'il va rougir. – 3. Je suis sûr qu'il va réfléchir. – 4. Je suis sûr qu'il va guérir.

7 **C'est dur.**

1. C'est dur de l(e) faire ! – 2. C'est dur de l(e) boire ! – 3. C'est dur de l(e) croire ! – 4. C'est dur de l(e) mettre !

8 **Grâce à votre aide**

1. J'ai trouvé grâce à votre aide. – 2. J'ai compris grâce à votre aide. – 3. J'ai traduit grâce à votre aide.

> **À vous !**   **J(e) l'ai déjà fait.**
>
> 1. J(e) l'ai déjà r(e)fermé. – 2. J(e) l'ai déjà r(e)porté. – 3. J(e) l'ai déjà r(e)gardé. – 4. J(e) l'ai déjà r(e)cherché.

11 **Je l'espère.**

1. Pourvu qu'il serve ! – 2. Pourvu qu'il dorme ! – 3. Pourvu qu'il parte ! – 4. Pourvu qu'il sorte !

> **À vous !**   **J'ai peur d'en avoir !**
>
> 1. J'ai peur d'avoir des r(e)grets. – 2. J'ai peur d'avoir des r(e)proches. – 3. J'ai peur d'avoir des r(e)fus. – 4. J'ai peur d'avoir des r(e)marques.

Écriture

Adjectif / adverbe. 1. dehors : intérieur – 2. avant : antérieur – 3. après : ultérieur – 4. au-dessus : supérieur – 5. au-dessous : inférieur – 6. derrière : postérieur. – 7. devant : antérieur.

44 lit - riz   /l/ - /ʀ/

> **À vous !**   **Lesquelles ?**
>
> 1. Elle réunit lesquelles ? – 2. Elle recueille lesquels ? – 3. Elle rassemble lesquels ? – 4. Elle recouvre lesquels ?

4 **Lundi**

1. Remets-le leur lundi. – 2. Répète-le leur lundi. – 3. Réclame-le leur lundi.

IV – LES SEMI-VOYELLES OU SEMI-CONSONNES

Quelles sont vos difficultés ?

Test 1
1. 1. Loire – 2. lard – 3. loup
2. 1. nuit – 2. nid – 3. nu
3. 1. Où s'est-il **enfui** ? – 2. C'est une jeune **mouette**. – 3. C'est à **Louis** que je parle. – 4. La **buée** me gêne.

Test 2
1. 1. **Rouille** est ma couleur préférée. – 2. Quelle est votre **taille** ? – 3 Je cherche le **sommet**. – 4. Vous êtes très **gentil** avec lui.
2. 1. Nous **voulions** partir. – 2. Vous **prenez** un café ? – 3. Nous **marchons** vite. – 4 Vous **travailliez** trop.

45 Louis - lui   /w/ - /ɥ/

Exercices p. 171

3 Huit

1. Il y a huit grands ours. / Il y en a huit. – 2. Il y a huit grands oiseaux. / Il y en a huit.

4 C'est bien lui ?

1. C'est bien lui qu'on doit croire ? – 2. C'est bien lui qu'on doit apercevoir ? – 3. C'est bien lui qu'on doit recevoir ? – 4. C'est bien lui qu'on doit revoir ?

> ### À vous !   Pourquoi ?
> 1. Pourquoi lui mentir ? – 2. Pourquoi lui téléphoner ? – 3. Pourquoi lui parler ?

Exercices p. 172

7 Trois fois !

1. J'y suis passé trois fois. – 2. J'y suis allé trois fois. – 3. J'y suis parti trois fois. – 4. J'y suis descendu trois fois.

8 Je dois le faire...

1. Oui, je dois le lui jouer. – 2. Oui, je dois le lui avouer. – 3. Oui, je dois le lui payer. – 4. Oui, je dois le lui conseiller.

> ### À vous !   Je suis d'accord !
> 1. Je suis d'accord puisque c'est en juillet. – 2. Je suis d'accord puisque c'est à huit heures. – 3. Je suis d'accord puisque c'est le huit juin.

Exercices p. 173

9 Si, tu dois.

1. Si, tu dois les continuer. – 2. Si, tu dois les distribuer. – 3. Si, tu dois les diminuer. – 4. Si, tu dois les évaluer. – 5. Si, tu dois les effectuer.

11 Louis

1. Louis. Il faudrait qu'il puisse la construire. – 2. Louis. Il faudrait qu'il puisse la détruire. – 3. Louis. Il faudrait qu'il puisse la traduire. – 4. Louis. Il faudrait qu'il puisse la produire.

> ### À vous !   Tout de suite ?
> 1. Puis-j(e) avancer tout d(e) suite ? – 2. Puis-j(e) expliquer tout d(e) suite ? – 3. Puis-j(e) appuyer tout d(e) suite ? – 4. Puis-j(e) approcher tout d(e) suite ?

46 bas - bail - bailler   /j/

Exercices p. 175

3 Une seule

1. Il y a une seule corbeille. – 2. Il y a une seule feuille. – 3. Il y a une seule paille.

4   Elle est bien vieille !

1. C'est une vieille affaire... – 2. C'est une vieille idée... – 3. C'est une vieille anecdote...

> ### À vous !   Ils tombent tous de sommeil.
> 1. Oui, Juliette a sommeil. – 2. Oui, Marianne a sommeil. – 3. Oui, Martial a sommeil. – 4. Oui, Nayah a sommeil. – 5. Oui, Mathieu a sommeil. – 6. Oui, Sébastien a sommeil.

Exercices p. 176

6   Imparfait / futur / conditionnel

1. Nous les rendions. / Nous les rendrons. / Nous les rendrions. – 2. Nous les descendions. / Nous les descendrons. / Nous les descendrions. – 3. Nous les battions. / Nous les battrons. / Nous les battrions.

7   Non, c'est nous.

1. C'est nous qui la voyons. – 2. C'est nous qui la balayons. – 3. C'est nous qui la nettoyons. – 4. C'est nous qui la renvoyons.

8   Il n'y en a plus !

1. Ben non, y'a p(l)us de volailles. – 2. Ben non, y'a p(l)us de groseilles. – 3. Ben non, y'a p(l)us de vanille. – 4. Ben non, y'a p(l)us de myrtilles.

> ### À vous !   La veille !
> 1. Soyez de retour la veille ! – 2. Soyez ici la veille ! – 3. Soyez là la veille ! – 4. Soyez là-bas la veille !

Exercices p. 177

9   Indicatif / subjonctif

1. Pourvu qu'il s'en aille bientôt. – 2. Pourvu qu'il veuille bien. – 3. Pourvu qu'il ne lui faille rien. – 4. Pourvu que vous ne soyez pas sérieux. – 5. Pourvu que vous n'ayez pas de question !

11   Qu'il y aille donc !

1. Mais qu'il y aille donc, à Niort ! – 2. Mais qu'il y aille donc, à Dieppe ! – 3. Mais qu'il y aille donc, à Liège !

> ### À vous !   Ce serait bien !
> 1. Ce s(e)rait bien qu(e) vous l(e) payiez. – 2. Ce serait bien que vous l(e) surveilliez. – 3. Ce serait bien que vous l(e) renvoyiez.

Écriture

Verbe / nom. 1. trier : triage – 2. gaspiller : gaspillage. – 3. déblayer : déblayage. – 4. nettoyer : nettoyage. – 5. habiller : habillage. – 6. balayer : balayage. – 7. embrayer : embrayage. – 8. bafouiller : bafouillage. – 9. aiguiller : aiguillage. – 10. outiller : outillage. – 11. essayer : essayage. – 12. brouiller : brouillage.

V – ACTIVITÉS COMMUNICATIVES

1 La fiche d'Agnès.

1. Non, c'est Agnès Hamon. – 2. Elle est née à Asnières dans le 92. – 3. Non, elle est née en 1982. – 4. Non, elle habite à Amboise. – 5. 3 Rue Émile Zola. – 6. Elle a étudié à Amiens, puis au Havre. – 7. Elle est spécialisée en économie. – 8. Elle a un Master II.

3 Le calendrier.

1. Le six est un dimanche. – 2. Le dix est un jeudi. – 3. Le treize est un dimanche. – 4. Le seize est un mercredi. – 5. C'est le mois de février. – 6. C'est une année bissextile. – 7. Ça fait sept jours.

5 Elle et lui !

1. Elle, elle travaille et lui, il ne travaille pas. – 2. Elle, elle rentre et lui, il ne rentre pas. – 3. Elle, elle dîne et lui, il ne dîne pas. – 4. Elle, elle se couche et lui, il ne se couche pas.

6 Mots cachés

	1	2	3	4	5	6	7	8	9	10	11	12	13	14	15	16
I									A							
II					A	P	P	A	R	T	E	M	E	N	T	
III									T							
IV		P	A	R	A	P	L	U	I	E						
V									C	A	M	A	R	A	D	E
VI	L	I	T	T	E	R	A	T	U	R	E					
VII									L							
VIII				D	E	B	A	R	A	S	S	E	R			
IX									T							
X				M	A	G	A	Z	I	N	E					
XI									O							
XII					*B*	*A*	*N*	*A*	*N*	*E*						

7 Le contraire.

1. Fou ? Au contraire, il est sage. – 2. Mou, au contraire, il est dur. – 3. Roux ? Au contraire il est blond vénitien. – 4. Lourd ? Au contraire il est léger. – 5. Saoul ? Au contraire, il est sobre.

9 Plein de voyelles…

	Exemple	1	2	3	4	5	6
J'entends /i/		x					
J'entends /y/							x
J'entends /u/	x				x		
J'entends /o/				x			
J'entends /Œ/			x		x		

1 Elle commande deux cafés. – 2 J'ai mal au cœur. – 3 Pierre est bien jaune ! – 4 Elle vous parlait. – 5 Elle veut parler. – 6 Elle est vraiment sûre ?

10 « Tout » ou « tu » ?

1. Tout / Tu t'es présenté aujourd'hui ? – 2. Tout / Tu t'es préparé à la maison ? – 3.Tu / Tout est brûlé à quel endroit ?

11 Dis-nous donc où tu habites !

1. Tu habites à Boulogne ou à Nancy ? – 2. Tu habites à Namur ou à Strasbourg ? – 3. Tu habites à Saumur ou à Paris ? – 4. Tu habites à Tulle ou à Tours ?

12 Quel gourmand…

1. Une assiette ? Oh non, deux s'il vous plaît. – 2. Une part ? Oh non, deux s'il vous plaît. – 3. Une tasse ? Oh non, deux s'il vous plaît. – 4. Une coupe ? Oh non, deux s'il vous plaît.

13 Des euros…

1. Il y a un gâteau à deux euros. – 2. Il lui faut vingt-deux euros. – 3. Ces chaussures sont à cent deux euros. – 4. Ce vélo vaut deux cents euros. – 5. Il veut deux mille euros.

14

1. Qu'est-ce qu'il y a à deux euros ? – 2. Combien lui faut-il ? – 3. À quel prix sont ces chaussures ? – 4. Combien vaut ce vélo ? – 5. Combien veut-il ?

17 Mon train.

1. Il partira à douze heures zéro deux. – 2. C'est le numéro cent deux. – 3. Le train part pour Bourges.

19 Ce soir et demain.

1. L'apéro ? Ce soir et demain. – 2. Au resto ? Ce soir et demain. – 3. En boîte ? Ce soir et demain.

21 Je rêve de visiter…

1. Les deux : la Thaïlande et la Corée. – 2. Les deux : la Tunisie et le Maroc. – 3. Les deux : le Luxembourg et la Belgique.

25 Oral ou nasal ?

	Exemple	1	2	3	4	5	6	7	8	9	10
orale (pas nasale)	x	x				x	x	x	x		x
nasale			x	x	x					x	

1. Jeanne a appelé. – 2. J'en ai beaucoup. – 3. Qu'est-ce que c'est bon ! – 4. Alban ? C'est mon ami. – 5. Lis-moi les bonnes feuilles ! – 6. C'est Albane, là ? – 7. Qu'est-ce que tu bouquines ? – 8. Elle visite ses vignes. – 9. Voici les communs du château. – 10. L'enseigne est allumée.

26 La parité !

1. Un musicien et une musicienne. – 2. Un pharmacien et une pharmacienne. – 3. Un technicien et une technicienne. – 4. Un informaticien et une informaticienne.

27 Tes cousins.

1. Ils deviennent impolis. – 2. Ils deviennent intraitables. – 3. Ils deviennent inflexibles.

28 Évidemment !

1. Évidemment, elle en a pas, d'absences ! – 2. Évidemment, elle en a pas, d'amende ! – 3. Évidemment, elle en a pas, d'appartement ! – 4. Évidemment, elle en a pas, d'argument !

29 Tu te trompes.

1. Non, mais ils ont une fille. – 2. Non, mais j'ai une cousine. – 3. Non, mais elle a une nièce. – 4. Non, mais c'est une fille.

32   Inimaginable !

1. T(u) imagines, c'est absolument intransportable ! – 2. T(u) imagines, c'est absolument immangeable ! – 3. T(u) imagines, c'est absolument impensable ! – 4. T(u) imagines, c'est absolument indispensable !

33   C'est marrant !

1. C'est marrant ! Mes voisines sont américaines ! – 2. C'est marrant ! Mes cousines sont italiennes !

34   Cadeau ou gâteau ?

	Exemple	1	2	3	4	5	6
cadeau	x		x		x	x	
gâteau		x		x			x

1. Il fait toujours de beaux gâteaux. – 2. Tu as acheté tes cadeaux ? – 3. J'ai deux gâteaux pour toi. – 4. Elle ne fait jamais de cadeau. – 5. C'est un cadeau empoisonné. – 6. C'est un gâteau un peu spécial.

35   Liste de courses.

1. S'il te plaît, rapporte-moi 2 baguettes de pain de campagne. – 2. S'il te plaît, rapporte-moi 3 paquets de pâtes. – 3. S'il te plaît, rapporte-moi des collants et des bas. – 4. S'il te plaît, rapporte-moi du poivre blanc. – 5. S'il te plaît, rapporte-moi deux boîtes de thon. – 6. S'il te plaît, rapporte-moi de la glace au café.

37   Le Petit Chaperon Rouge, histoire inspirée du conte de Charles Perrault (1628-1703).

Il était une fois une petite fille habillée d'une petite cape rouge qui apporte à sa grand-mère des cadeaux : une galette, un petit pot de beurre. Dans la forêt, elle rencontre le loup. Plus rapide qu'elle, le loup arrive le premier chez la grand-mère et il la mange. Quand le Petit Chaperon Rouge arrive, elle s'étonne et dit « Oh, grand-mère que vous avez de grandes dents… ». Le loup répond « C'est pour mieux te manger, mon enfant ! »

39   « Ils sont » ou « ils ont » ?

	Exemple	1	2	3	4	5	6	7	8	9	10
/z/ « ils /z/ ont »		x			x		x			x	x
/s/ « ils sont »	x		x	x		x		x	x		

1. Ils ont faim. – 2. Ils sont vingt. – 3. Ils sont acceptés. – 4. Ils ont chaud. – 5. Ils sont froids. – 6. Ils ont calé. – 7. Ils sont surveillés. – 8. Ils sont connectés. – 9. Ils ont réussi. – 10. Ils ont raté.

41   Que des euros !

1. Elle demande seulement dix euros, Suzanne ? – 2. Elle prend seulement six euros, Denise ? – 3. Elle donne seulement seize euros, Elizabeth ? – 4. Elle voudrait seulement treize euros, Louise ?

42   Pas vu, pas bu !

1. Je ne les ai jamais bus. – 2. Je ne les ai jamais faits. – 3. Je ne les ai jamais pris. – 4. Je ne les ai jamais punis. – 5. Je ne les ai jamais fait frire. – 6. Je ne les ai jamais finis.

43   Il est pas frais, mon poisson ?

1. Parfaitement, c'est pas prêt ! – 2. Parfaitement, c'est pas fini ! – 3. Parfaitement, c'est pas fait ! – 4. Parfaitement, c'est pas frit ! – 5. Parfaitement, c'est pas pris !

	Exemple	1	2	3	4	5	6
J'entends /ʀ/	x	x		x	x		
Je n'entends pas /ʀ/			x			x	x

44　La bise ou la brise ?

1. Il m'a renseigné. – 2. Elle nous a appelés. – 3. Quelle crasse… – 4. C'est bien pire ! – 5. J'y suis passé. – 6. Tu veux le monter ?

45　Il est extraordinaire !

1. Oh oui ! C'est un danseur extraordinaire ! – 2. Oh oui ! C'est un nageur extraordinaire ! – 3. Oh oui ! C'est un joueur extraordinaire ! – 4. Oh oui ! C'est un patineur extraordinaire !

46　N'oublie pas d'être poli !

1. N'oublie pas de dire bonsoir à mon père ! – 2. N'oublie pas de dire merci à mon père ! – 3. N'oublie pas de dire au revoir à mon père !

47　Elle est très sérieuse !

1. Elle les lit et les relit. – 2. Elle les calcule et les recalcule. – 3. Elle les corrige et les recorrige. – 4. Elle les travaille et les retravaille. – 5. Elle les classe et les reclasse.

48　C'est un fruit ou pas ?

1. C'est un fruit. – 2. Ce n'est pas un fruit. – 3. Ce n'est pas un fruit. – 4. C'est un fruit. – 5. C'est un fruit. – 6. Ce n'est pas un fruit.

51　La rue du 18 juin, à Villejuif.

1. C'est Louis Thuillier. – 2. C'est Moïse Mauduit. – 3. Il est né le 18 juillet 1918. – 4. C'est Maya Puisant. – 5. Elles habitent 28 rue du 18 juin à Villejuif. – 6. C'est Louise Dupuis. – 7. Ils habitent18 rue du 18 juin, à Villejuif.

N° d'éditeur : 10234616 – Dépôt légal : juillet 2014

Achevé d'imprimer en février 2018
sur les presses numériques de l'Imprimerie Maury S.A.S.
Z.I. des Ondes – 12100 Millau
N° d'impression : B18/57616N

Imprimé en France